D1272419

Boo

Un ami mystérieux

Cori Brooke et Sue deGennaro

À : Ma mère, Donna, mon père, Robby, mon amour, Geoff.
Et bien sûr, à Spencer, ma source d'inspiration pour ce livre.
Ton imagination et ton amour des livres m'apportent tellement de joie. C. B.

À mozes, des saucisses de Francfort au patinage artistique… tu m'inspires. S. G.

Traduction de l'anglais par Christine Mignot

Titre original : *Max & George*
Max and George by Cori Brooke and Sue deGennaro

ISBN : 978-2-87833-703-7
Imprimé aux Émirats Arabes Unis
Dépôt légal : mars 2014
Loi n° 49-956 du 16 juillet 1949 sur les publications destinées à la jeunesse

Un ami mystérieux

Cori Brooke et Sue deGennaro

Max n’avait qu’un seul ami.
Cet ami s’appelait Félix.

Félix vivait dans les vitres.

Les vitres des maisons et des voitures.
Les vitrines des magasins et les fenêtres des trains.

Max n'était jamais seul dès qu'il se trouvait près d'une vitre.

7
2
5

Les adultes ne comprenaient pas pourquoi
Max s'arrêtait toujours devant les vitres.

À la maison, sa maman lui disait :
« Éloigne-toi donc de cette vitre, Max, le dîner est prêt. »

Dans le train, son papa s'écriait :
« Arrête de regarder par la fenêtre, Max,
nous allons rater notre arrêt. »

Les adultes ne voyaient jamais Félix.

Max et Félix avaient beaucoup
de points communs.
Ils étaient tous les deux assez timides,
ils portaient les mêmes vêtements
et avaient la même taille.

Ils faisaient aussi les mêmes mouvements.
À chaque fois que Max levait la main, Félix levait la sienne.
Si Max penchait la tête, Félix penchait la sienne.
Et quand Max sautait, Félix sautait.

Ils partagaient également les mêmes émotions.

Quand Max était gai et souriant, Félix souriait aussi.
Quand Max était grognon et fronçait les sourcils, Félix ronchonnait.

Max n'aimait pas quand Félix était grognon.
Il faisait alors des grimaces, ou dansait pour l'amuser.
Et lorsque Félix était vraiment grognon,
Max lui racontait une blague pour le faire rire.

Un après-midi, Max trouva Félix particulièrement grognon et nerveux.
Max se sentait lui-même assez anxieux.
Dans quelques jours, ce serait la rentrée des classes.

Sa maman l'avait emmené dans les magasins pour acheter des fournitures.
Mais Max préférait regarder les vitrines.

Max se dit que l'école inquiétait sûrement Félix aussi.
Il décida alors de lui raconter une blague pour le détendre un peu.

Max se mit à glousser tellement sa blague était drôle. Et Félix gloussa à son tour.

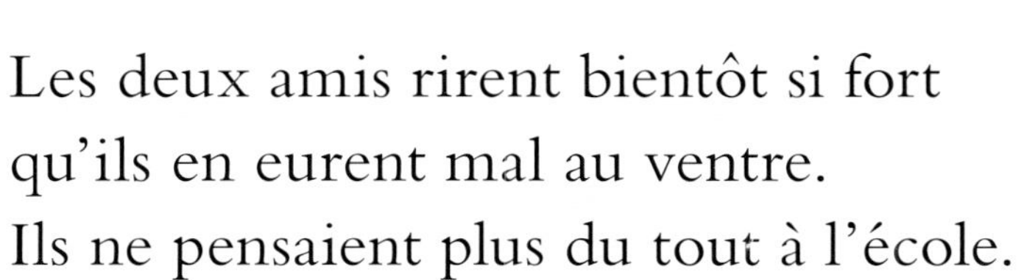

Les deux amis rirent bientôt si fort qu'ils en eurent mal au ventre. Ils ne pensaient plus du tout à l'école.

Tout le monde regardait Max dans le magasin.

Sa maman lui tapota l'épaule et lui dit :
« Viens, Max, nous devons aussi t'acheter des habits pour l'école. »

1 2 3 4 5 6 7 8 9
ar
macie
3.Man
M
g
me
battre
5.Léo es
du fil à
t g

Le jour de la rentrée, Max trouva vite Félix
dans la fenêtre de sa classe.
Celui-ci semblait très inquiet.
« Arrête de regarder par la fenêtre, Max,
la classe a commencé », lui dit sa maîtresse.

Max vint lentement s'asseoir à sa place, déçu de n'avoir
pas eu le temps de raconter une blague à son ami.

À la récréation, les enfants sortirent jouer dans la cour.
Max chercha Félix.
Il le trouva dans la porte d'une classe.
Félix semblait encore nerveux.
Max s'approcha de la vitre et murmura une histoire drôle.

Max riait tellement fort qu'il ne remarqua même pas qu'un garçon de sa classe s'était avancé.
« Que fais-tu ? » demanda le garçon.
Max arrêta de rire et répondit timidement :
« Je raconte une blague à mon ami. »

Le garçon, perplexe, lui répondit :
« Mais il n'y a personne ici. »
Max se sentit rougir.
Il était mal à l'aise, jusqu'à ce que le garçon lui dise :
« Je m'appelle Sam et j'adore les blagues. »

Sam chuchota une blague idiote à l'oreille de Max. Max la trouva très amusante.

Max commença à glousser, puis il rit aux éclats.

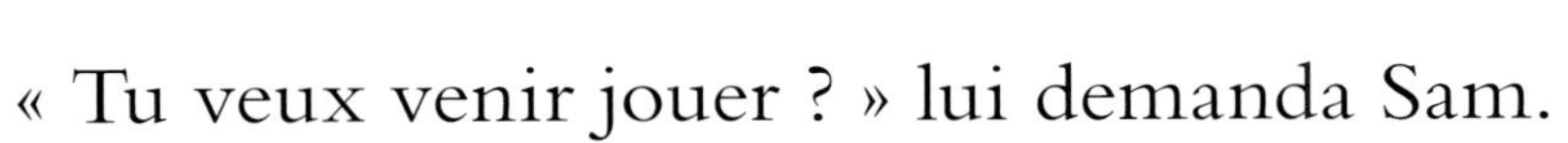

« Tu veux venir jouer ? » lui demanda Sam.
« Oui, je veux bien », répondit Max.

Alors que Sam se dirigeait vers l'aire de jeux,
Max se pencha vers Félix et lui dit tout bas :
« À tout à l'heure. »

« Hé, Max ! J'ai une autre blague à te raconter, elle est vraiment drôle ! » s'écria Sam.
Max sourit à Félix et lui fit au revoir de la main avant de courir rejoindre Sam.

Avant de retourner en classe, Max jeta un œil
à la porte vitrée. Mais il ne vit que son visage.

Maintenant que Max avait rencontré Sam,
l'école ne l'inquiétait plus du tout.

À la maison, le soir, Max chercha Félix.
Il le chercha dans la vitre de la voiture,
dans la fenêtre de la cuisine et dans celle de sa chambre.
Mais il ne voyait plus que son propre reflet.
Bientôt, Max ne regarda plus dans les vitres.

Il savait que Félix allait bien
et qu'il ne serait jamais très loin.